(k)

(k)
Épisode
8

Des lendemains qui tanguent
Sophie Bienvenu

Illustrations de
Salgood Sam

la courte échelle

17:03 – A.n.i.t.a. dit :
Tantôt, il m'a prise dans ses bras, encore.

17:03 – Emxx dit :
Reviens-en, là !

17:03 – Emxx dit :
Ça fait trois semaines qu'il t'a dit que t'étais juste son amie !

17:03 – Emxx dit :
Passe à autre chose !

17:04 – A.n.i.t.a. dit :
Ouin...

17:04 – Emxx dit :
Par exemple...

17:04 – Emxx dit :
J'ai entendu dire que Gab tripe sur toi. : D

Dernier message reçu le mercredi 3 décembre à 17:04

Ça ne fait pas du tout trois semaines que Kevin m'a dit que nous n'étions rien qu'amis, ça fait trente-trois jours (mais ça, Émilie ne le sait pas, puisqu'elle n'est pas au courant de l'existence de Tania). Je tiens aussi le compte en heures, mais je ne pense pas que ce soit une information pertinente. Au moins, il ne me considère pas encore comme sa sœur... C'est déjà ça !

Comment je le sais ?

Grâce à son petit frère.

Hier, j'étais chez eux pour travailler avec Kevin à notre devoir de français, et Matthias a déclaré qu'il aimait quand j'étais là, parce que j'étais un peu comme sa grande sœur.

— Mais, si t'étais ma sœur, a-t-il continué, ça voudrait dire que tu pourrais pas être la blonde de Kevin, parce que tu serais sa sœur aussi. Et ça se fait plus, ça, de nos jours...

— Par contre, si Anita et moi, on se mariait, elle deviendrait ta belle-sœur, et ça reviendrait au même... a répondu Kevin.

Malgré le fait que Kevin venait quasiment de me demander en mariage, j'ai essayé de garder les pieds sur terre et de réserver mon rêve éveillé pour plus tard.

J'ai enquêté :

— Oui, mais il faut être amoureux pour se marier avec quelqu'un. On ne se marie pas avec son amie !

— Y a ça, ouais... Mais t'es certainement pas comme ma sœur, en tout cas. Ou alors, j'ai des rêves vraiment *sick*! a répondu Kevin, avant de sourire de sa blague.

— Tu rêves de moi? ai-je demandé

— Hé! hé! Mais non, je te niaise.

Il avait son air de quand il ment. Je le sais, parce qu'il a le même quand il prétend qu'il a lu le passage que je lui ai demandé de lire ou quand il prétexte un mal de genou fulgurant pour ne pas faire de skate.

Il rêve de moi! Je me plais à penser que ce sont les mêmes rêves que nous partageons et que, le matin, nous nous réveillons avec les mêmes souvenirs, le même sourire aux lèvres.

Ce soir, exceptionnellement, nous nous sommes donné rendez-vous au *skate-park*. C'est devenu plus agréable d'y aller depuis que les rampes ont été rentrées. Il commençait à faire trop frais dehors.

— C'est plus à cause de la neige que du froid, m'a appris Kevin l'autre jour. Parce que, quand tu skates, t'as chaud *anyway*.

— Ben tu dois pas avoir chaud souvent, alors... ai-je plaisanté.

Il s'est vexé un peu et a fini par sourire.

— Je viens pour la business, t'sais ben, pas pour m'amuser!

« La business », c'est les chandails qu'il dessine, qu'il sérigraphie lui-même et qu'il vend. Ils sont tous plus beaux que les plus beaux chandails du monde mis ensemble.

Et je ne dis pas ça parce que c'est Kevin qui les fait. Pas uniquement, mettons.

Lorsque j'arrive à notre rendez-vous, je le cherche du regard. Il est en retard, évidemment. Je m'assois sur un banc pour l'attendre, les yeux dans le vague. Notre ami Sam est là avec deux ou trois gars de l'école. Il me fait un signe et tape sur l'épaule d'un de ses amis, qui se retourne. C'est Gab.

C'est fou comme un gars que je n'avais jamais remarqué avant peut devenir *cute* la minute où je sais que je lui plais ! Ça doit être scientifique. Il est tout « moins » que Kevin (moins beau, moins intelligent, moins drôle, moins mauvais sur un skate…) mais, si la perfection se refuse à moi, je ne vais quand même pas rester célibataire toute ma vie !

Quand Kevin arrive, vingt-cinq minutes plus tard, Gab m'a rejointe sur le banc. Il me lit les lignes de la main. Je le soupçonne de me « bullshiter » sévèrement, mais c'est drôle. Et ses mains sont quand même douces.

— Qu'est-ce vous faites ? demande Kevin sur un ton plus que bourru.

— Gab me lit mon avenir ! que je lui réponds, enthousiaste.

Kevin pose sa planche contre le banc, tend la main vers le chiromancien de pacotille et lui lance sèchement :

— Veux-tu que je te lise le tien ?

Gab lui adresse un rictus indéchiffrable.

— J'y retourne, me prévient Gab en empoignant sa planche. On se reparle !

Mon « ami » s'assoit à côté de moi sans rien dire.

— Ça va ? que je lui demande.

Pas de réponse.

— Tu t'es encore engueulé avec ta mère ?

Pas de réponse.

— Qu'est-ce qu'il y a, Kevin ?

— C'est quoi, là, te faire taponner par le monde ? aboie-t-il, excédé.

— Quoi ?

— C't'un cave, ce gars-là ! Pourquoi y te touche ? poursuit-il.

— C'est pas ton ami ?

— C't'un cave, décrète-t-il.

Je pousse Kevin de l'épaule en riant.

— T'es jaloux ?

— Non, je m'en sacre, tu peux ben faire ce que tu veux.

— On est juste copains, non ? que je lui demande innocemment.

— M'en sacre, je te dis.

À ces mots, il saute sur son skate et s'en va niaiser sur les obstacles, me laissant plantée là, à le regarder.

Parfois, Gab passe dans mon champ de vision et exécute une figure dont j'ignore le nom. Je tomberais certainement en pâmoison devant lui si je portais un quelconque intérêt à ce sport. Comme ce n'est pas le cas, je lui souris poliment ou je fais celle qui n'a rien vu. Kevin est perché en haut de la grande rampe et laisse passer tous les autres avant lui. Lorsque c'est au tour de son rival de tenter une descente, il se décide et le précède sur l'obstacle.

Kevin monte sur sa planche. Il n'a même pas le temps d'amorcer son mouvement qu'il est déjà tombé. Je sais que je ne peux pas me ruer vers lui pour le couvrir de baisers et vérifier qu'il n'a rien de cassé, car les gars ont leur fierté, et je garde mon « tu t'es pas fait mal ? » pour quand il vient me rejoindre sur le banc en boitillant et en se massant le coude.

Ses ecchymoses semblent le faire souffrir encore plus lorsque Gab nous rejoint après avoir réussi sa figure sur la rampe.

— Ça va ? demande-t-il à Kevin avec un sourire moqueur.

— Ça va, lui répond froidement l'intéressé.

Il pose sa main sur ma cuisse et me demande, comme pour défier Gab :

– On va chez moi ?

Je viens officiellement de devenir la borne-fontaine préférée de monsieur. Je ne suis pas certaine d'apprécier qu'il marque son territoire de cette façon, surtout que c'est moi, le terrain de chasse en question. Je ne suis la propriété de personne, moi, monsieur ! (À moins d'avoir frenché le gars une ou deux fois, auquel cas la négociation est possible...)

– Non, je crois que je vais rentrer.

– Tu veux que je te ramène ? Je suis en char, s'essaie Gab.

Je m'entends répondre par l'affirmative, dépose un baiser sur la joue de Kevin avant de prendre l'autre par le bras.

– On se voit demain à l'école, Kevin ! Bye !

Ça, c'est encore un coup de Tania.

(K)

De: Émilie
À: Moi
Mercredi à 18:27

Comme ça, Gab t'a ramenée chez vous? :P

De: Moi
À: Émilie
Mercredi à 18:29

Les nouvelles vont vite! Il m'a juste donné un lift.

De: Émilie
À: Moi
Mercredi à 18:31

Ça commence de même... Je t'appelle pour que tu me racontes!

De: Moi
À: Émilie
Mercredi à 18:33

Y a rien à raconter! Mais O.K.! :P

Gab a appelé Sam, qui a MSNé Cath, qui l'a dit à Julie, qui a facebooké Émilie, qui m'a textée... La prochaine étape, c'était le *Téléjournal,* mais je pense qu'on y a échappé...

Vous vous demandez certainement ce qui s'est passé pour que nous nous reparlions, Émilie et moi, après qu'elle m'a accusée d'avoir essayé de reprendre Jonathan...

Eh bien! il s'est passé exactement ce que mon frère avait prédit. Elle a boudé un peu et s'est ensuite rendu compte que notre amitié était plus importante que tout ça. Ou, du moins, que mon ex (maintenant NOTRE ex) n'en valait pas vraiment la peine.

Après tout ce que nous avons vécu, nous ne sommes pas prêtes à nous abandonner.

Mon amie est en train de me vendre les mérites de Gab au téléphone quand j'entends le signal d'un double appel. Ça doit être Mehdi qui veut savoir où j'ai rangé la moppe et le seau ou me poser une autre question urgente du même genre.

— Allo?

— Ah! Anita, allo! C'est qui, Gab?

— Attends deux minutes.

Je promets à Émilie de la rappeler plus tard et je retourne à mon ami le devin.

— Gab, c'est un copain. Pourquoi?

— Kevin m'a dit qu'il te tournait autour, alors je voulais savoir... Mais bon, si c'est juste un copain... Il me semblait bien que tu m'en aurais parlé. Bon ben, excuse-moi de t'avoir dérangée!

— Attends un peu, là! Qu'est-ce qu'il t'a dit d'autre, Kevin?

— Bah, rien, on discutait de je sais plus trop quoi, et la conversation est tombée sur Émilie. De fil en épine, on a conclu qu'il n'y avait rien à comprendre aux filles.

— *En aiguille*. Mais comment vous en êtes arrivés là?

— Oh! À cause d'une fille qu'il aime bien et qui reste loin... Mais t'as pas de souci à te faire, je pense qu'elle le fait marcher: ils ne se verront jamais. Enfin, oui, ça se pourrait qu'ils se rencontrent, mais lui, il n'y croit plus.

— Hum!

— Alors, moi – t'aurais été fière de moi –, j'ai saisi l'occasion pour lui demander: «Mais, et Anita?», comme ça, l'air de rien. Et c'est là qu'il m'a dit que vous étiez juste amis et que, de toute façon, t'allais sortir avec Gab et qu'il savait bien dès le début que c'est ça qui arriverait.

— Ben voyons! Et t'as répondu quoi?

— «Ouin...»

— Merci pour la défense... C'est tout ce que vous vous êtes raconté?

— Pas mal, ouais. Moi, j'avais un client, alors je suis rentré, et une copine à lui est arrivée avant qu'il finisse sa cigarette, donc il est reparti avec elle.

— Quelle copine?

(K)

19:11 – A.n.i.t.a. dit:
T'es fâché?

19:11 – A.n.i.t.a. dit:
Gab m'a simplement donné un lift, là...

19:11 – A.n.i.t.a. dit:
J'ai juste pas aimé comment t'as réagi.

19:11 – A.n.i.t.a. dit:
Si je suis rien que ton amie... tsé...

19:12 – A.n.i.t.a. dit:
Tu peux pas...

Kay s'est déconnecté(e)

J'aimerais bien que les choses ne soient pas toujours aussi compliquées entre Kevin et moi. Ce serait reposant.

Comme je me suis levée un peu en retard et qu'il a commencé à neiger, mon père a accepté de me conduire à mes cours ce matin.

Si Kevin boude toujours aujourd'hui, j'irai le voir pour m'excuser (encore), en espérant que Tania viendra à mon aide cette fois aussi.

Devant l'école, mon père ralentit et immobilise la voiture. Je me penche en arrière pour récupérer mon sac.

— Ne te fais jamais de mèches roses comme ça. C'est vraiment laid, me conseille-t-il.

J'ai vomi mes céréales dans ma bouche et j'ai ravalé.

« Faites que ce ne soit pas elle, faites que ce ne soit pas elle, faites que ce ne soit pas elle... »

C'est elle.

À huit heures et demie, devant l'école, avec Kevin. À fumer la même cigarette que lui.

— Qu'est-ce que tu fais, Princesse ? Tu rêves ?

Non, je ne rêve pas. Ça fait même trop mal pour que ce soit un cauchemar.

Ils se parlent. La cloche qui indique le début des cours sonne.

— Anita, allez ! Tu vas vraiment être en retard, là.

Kevin recule. Mèches-Roses l'agrippe par le chandail. Il lui prend les mains. De loin, j'ai du mal à distinguer l'expression de leurs visages.

— Voyons, Anita! Qu'est-ce qui se passe? me demande mon père.

Kevin recule encore. Elle le tire par la manche. Il lui tourne le dos. Elle tire plus fort. Il se retourne brusquement.

— Heille! C'est pas ton... oh! remarque mon père.

Kevin prend le visage de Mèches-Roses dans ses mains. Il l'embrasse. D'ici, je dirais passionnément.

— Euh...

Une larme coule sur ma joue.

— Tu... C'est...

Papa a perdu sa voix.

Kevin lâche Mèches-Roses et recule encore. Il va être en retard. Elle le suit. Elle essaie encore de l'attirer vers elle. Mon père démarre en trombe.

— C'est journée pédagogique, aujourd'hui.

Sur le chemin du retour, nous ne disons rien. Je joue avec la lanière de mon sac, que j'ai gardé sur les genoux. Enroule, déroule, enroule, déroule...

Tout est ridiculement inutile. Tout me semble vain. Mon vernis à ongles, mes nouveaux jeans, le grain de beauté que j'ai entre le pouce et l'index... Je voudrais mourir.

Non.

Je suis morte.

Mon âme est restée quelque part près du lieu où la voiture était stationnée lorsque je me suis fait foudroyer. Elle est sortie de mon corps à ce moment-là, et je suis maintenant une coquille vide et fendue. Inutile. Même pas bonne à mettre au recyclage.

— Ouin... lui, là... je l'aime vraiment pas.

La déclaration de mon père ouvre les vannes. Les canalisations « pètent au frette ». Mes larmes explosent et menacent de nous noyer tous les deux dans l'habitacle.

— Ben là... je dis ça... je le connais pas...

Mes pleurs redoublent.

— Ça avait l'air d'être un bon petit gars quand je l'ai vu, mais... on se ramasse avec son chat... pis là... ça...

Deux fois, deux fois, deux fois, deux fois, deux fois plus de larmes.

— Wowowo... C'est parce que j'ai dit que je ne l'aimais pas ?

Je renifle et pleure de plus belle.

— C'est pire, si je ne l'aime pas ?

De petits gémissements s'ajoutent aux sanglots et aux reniflements.

— Qu'est-ce que je peux faire ? Veux-tu que j'aille crever ses pneus ?

Mon chagrin m'étouffe. Ça doit prouver que je ne suis pas morte.

Mais, si je ne suis pas morte, ça ne saurait tarder.

— J'espère que ta mère n'est pas déjà partie travailler !

(K)

17:23 – Kay dit:
Heille!

17:23 – Kay dit:
T'étais pas à l'école aujourd'hui...

17:23 – Kay dit:
Ça va?

17:23 – Kay dit:
T'es malade?

17:23 – Kay dit:
Tu vas être au dép' ce soir?

17:24 – Kay dit:
Hé!

17:27 – Kay dit:
Anita...

17:27 – Kay dit:
C'est toi qui...

A.n.i.t.a. s'est déconnecté(e)

Dernier message reçu le jeudi 4 décembre à 17:27

— Tu sais ce qu'on fait dans ces moments-là ? me demande Mehdi lorsque je lui raconte toute l'histoire.

— Non.

— On boit. Pour oublier.

Je hausse les épaules alors que mon ami débouche une bouteille de vodka et en prend une gorgée. Il me tend la bouteille.

— Mais là... tu travailles, imagine si ton père...

— Bois. Tu vas voir, ça ramène à la vie...

Je bois. C'est mauvais.

— ... ou ça achève. Dans les deux cas, je suppose que c'est une bonne chose.

Environ quarante-cinq minutes plus tard, je dois sortir pour prendre l'air. Je comprends ce que Mehdi voulait dire par «boire pour oublier». Je ne peux pas me concentrer sur autre chose que rester debout, respirer, me souvenir du début de ma phrase rendue au milieu de celle-ci. L'entreprise d'une vie.

Mon ami m'a conseillé de mettre mon manteau. J'allais geler, selon lui. Foutaises ! Mon corps est de braise, je suis la torche humaine... Je me laisse tomber sur le banc en avant du dépanneur. Je gèle. Le banc essaie de m'éjecter, mais je tiens bon. Je dormirais là si ce siège n'était pas aussi vindicatif. Et si je n'avais pas aussi froid.

— Mehdi ! Mehdi !

Je ne veux pas parler trop fort pour ne pas qu'un hypothétique passant se rende compte de mon état d'ébriété, alors je chuchote :

— Mehdi !

— Anita ?

J'ouvre un œil.

— TOI ! que je hurle, TOI !

— Qu'est-ce qui se passe ?

Kevin s'approche :

— Voyons, qu'est-ce tu fais là de même ? Tu vas geler !

— Oh, je SAIS, Kevin Savard ! Je SAIS, que je lui crie.

— Pourquoi tu m'appelles par mon nom de famille ? T'es soûle ?

Il s'assoit à côté de moi.

— Tu devrais pas t'asseoir là, le banc est pas fin... Ah, pis *ANYWAY*... assois-toi donc, ce sera tant pis pour toi !

— Mais de quoi tu parles ? Tiens, prends mon chandail, au moins...

— J'en veux PAS, de ton chandail ! Je veux rien de toi, je te déteste, je veux que tu t'en ailles ! Va-t'en va-t'en va-t'en ! que je le supplie dans ma grandiloquence alcoolisée.

— Qu'est-ce que je t'ai fait, là ?

— Qu'est-ce que tu m'as fait ? Qu'est-ce que tu m'as fait ? QU'EST-CE QUE TU M'AS FAIT ? (Je prends les voitures stationnées à témoin.) Il demande ce qu'il m'a fait, mesdames et messieurs !

— O.K. Viens, rentre, là... tu vas avoir froid pour vrai.

— Ce que tu m'as fait, Kevin Savard, c'est que tu m'as prise pour une borne-fontaine, que tu m'as fait pipi dessus et qu'après...

— Quoi ? Je t'ai... quoi ?

Mehdi sort de la boutique avec mon manteau.

— Tu vas avoir froid, Anita... Ah ! Kevin... salut, *man* ! Euh...

Je continue mon monologue en essayant de mettre mon manteau :

— Tu m'as prise pour une BORNE-FONTAINE et après t'es allé frencher et faire Dieu sait quoi d'autre avec une autre borne-fontaine, mais tu peux pas, parce que tu m'as déjà, moi, et moi, je t'aime, et arrête de faire bouger le banc !

— Bon ben, je vais être à l'intérieur, moi, nous informe Mehdi, mal à l'aise. Si vous avez besoin de... je vais... bye, là.

Devant mon incapacité à m'habiller, Kevin m'aide à mettre mon manteau.

— J'ai pas besoin de ton aide, tu sauras, Kevin Savard. Je te déteste, je suis morte à cause de toi et j'ai mal au ventre ; depuis que je te connais, j'ai mal au ventre, parce que je t'aime, et je vais être malade, je crois.

— Tu vas être malade ?

— Je crois, oui. Regarde par là-bas, que je lui demande, piteuse.

J'ai à peine le temps de tourner la tête que je vomis sur ses chaussures et un peu sur sa cuisse. Il me tient les cheveux, m'essuie la bouche, appuie ma tête sur son épaule : on dirait qu'il a fait ça toute sa vie.

— J'ai vomi sur toi.

— C'est pas grave...

— OUI, c'est grave ; je suis désolée.

Suivent quelques minutes, quelques heures ou quelques années durant lesquelles j'alterne pleurs et vomi.

— Je vais te ramener chez toi, me rassure Kevin une fois la source de fluides corporels tarie.

Nous nous levons difficilement et, lui me soutenant, entamons le long quart d'heure de marche qui nous sépare de chez moi.

— Kevin ?

— Oui ?

— Je t'aime.

— Moi aussi, je t'aime.

— Pour vrai ? que je lui demande d'une voix de somnambule.

— Pour vrai, affirme-t-il.

— Est-ce que je vais m'en souvenir demain?

— Probablement pas.

— Merde...

Nous arrivons devant chez moi. Il m'aide à m'asseoir sur le petit banc près de la porte, cherche mes clés dans mon sac, me demande laquelle c'est et, devant mon manque de participation, les essaie toutes dans la serrure. «Heureusement que mes parents sont chez des amis!» que je pense. J'aimerais le formuler, mais les consonnes ne collaborent pas, et ça donne quelque chose comme: «Uuuuuuu aaaaaaaa eee éééééaaaaa aaaaa ooooo ééééééééééé aaaaa iiiiii!»

Kevin finit par trouver la bonne clé, ouvre la porte et me traîne à l'intérieur.

— Tu vas être correcte?

Je tombe plus ou moins assise dans les escaliers.

— Bon.

Il me prend dans ses bras et me monte jusqu'à ma chambre. Je me souviens d'un rêve qui commençait exactement de cette façon...

Il me dépose délicatement sur mon lit et me tend la bouteille d'eau que je garde toujours sur ma table de chevet.

— Bois, sinon tu vas être malade demain.

— Déjà malade... dormir maintenant.

— Ça va être pire ; tiens, bois.

— Plus boire, plus boire, jamais.

— De l'eau, allez ! perd-il patience.

Je soupire, trempe mes lèvres et me laisse retomber sur l'oreiller.

— Encore !

— Tu me tourmentes, va-t'en ! Laisse-moi ! Va-t'en va-t'en va-t'en ! Tu me fais tout le temps mal !

— O.K. Fais à ta tête, Princesse !

Il dépose un baiser sur le haut de ma tête et s'éloigne.

— Kevin ?

— Ouais ?

— Est-ce que tu peux rester avec moi, s'il te plaît ? que je marmonne.

— Euh...

— S'te plaît ?

Nous nous endormons dans les bras l'un de l'autre. Du moins, moi, je m'endors dans ses bras et, si ce n'était mon mal de ventre, mon mal de tête et l'odeur de vomi, ce moment serait parfait.

(K)

16:18 - Emxx dit :
Alors là, quoi ?

16:18 - A.n.i.t.a. dit :
Mon père l'a mis à la porte et lui a interdit de s'approcher de moi.

16:18 - A.n.i.t.a. dit :
Sur l'échelle de l'atrocité, ça a pas mal pogné le 9,9.

16:18 - Emxx dit :
Elle va pas que jusqu'à 10, l'échelle de l'atrocité ?

16:18 - A.n.i.t.a. dit :
Oui.

16:19 - Emxx dit :
Ouch. : (

Dernier message reçu le vendredi 5 décembre à 16:19

Ça fait plusieurs fois que je dis que ma vie est finie, hein?

Eh bien, cette fois, c'est vrai!

Lorsque mes parents sont rentrés vers je ne sais quelle heure jeudi soir, mon père a ouvert la porte de ma chambre pour voir si tout était correct (franchement! qu'est-ce qui pouvait ne pas être correct? J'étais avec Kevin!), mais il n'a pas été capable d'y entrer. Soi-disant qu'il se serait «heurté au mur de puanteur qui régnait dans la pièce» et que «l'air ambiant aurait soûlé un vieux Moscovite».

Cataclysme intersidéral.

Imaginez le pire, et vous serez encore loin de la vérité.

Je n'ai plus le droit de voir Kevin, qui doit être furieux de s'être fait chasser de chez moi comme un va-nu-pieds.

Je cherche d'autres raisons que celle-là pour justifier la haine que je porte désormais à mon père. Il trompe ma mère peut-être. Une fois, il a failli donner une gifle à Thomas. Il a marché sur la queue d'Antoine. Il rentre son t-shirt dans son pantalon. Je le déteste.

Je le déteste autant que j'aime Kevin.

Le pire, c'est qu'il voulait m'envoyer à l'école vendredi, alors que j'étais SI malade en me réveillant! Sadique.

Heureusement, ma mère a plaidé en ma faveur. Comme ma capacité auditive était multipliée par 10 000 (un coton-tige serait tombé dans la salle de bain que ma tête aurait explosé), je les ai entendus discuter dans la cuisine avant de me rendormir – ou de mourir, je ne sais plus bien. En plus, peut-être qu'un silence radio de quelques jours suffirait à effacer ma honte ou du moins à l'atténuer pour que je sois capable de reparler à Kevin... un jour.

Aujourd'hui, après avoir passé deux longues journées cloîtrée à la maison, privée de sorties et même interdite de travail, j'ai réussi à soudoyer ma mère pour aller prendre l'air et, accessoirement, lui rapporter du jus de canneberges. Et le jus de canneberges, il se trouve que ça pousse au dépanneur.

— J'aurais pas dû te faire boire ; c'est un peu ma faute, tout ça, se lamente Mehdi.

— Mais non ! Tout ça, c'est la faute de mon père, ce Capulet !

— Ce quoi ?

— C'est le père de Juliette, dans *Roméo et Juliette*. Ils finissent tous les deux morts à cause de lui, et c'est ça qui va nous arriver, à Kevin et à moi, si ça continue comme ça, je te le dis !

L'air dubitatif, mon ami me répond :

— Faut avouer qu'il t'a trouvée complètement soûle avec un gars dans ton lit en plein milieu de la nuit... Moi, être lui...

Je le foudroie du regard et attaque :

— C'est toi qui dis ça ! Monsieur « je soupçonne que mon père n'est pas mon père, parce qu'il m'engueule quand je vole des trucs dans le magasin » !

— Je vois pas le rap... Chut ! Fais semblant de rien, fais comme si on parlait, parle-moi, fais comme si on avait une discuss... Ah, salut, Émilie !

Mehdi, parfois, je vous jure, c'est une vraie fille.

— Salut ! Anita, je t'ai cherchée partout ; ton cell est pas allumé ?

Amusée par le sourire amoureusement niais accroché au visage de Mehdi, je réponds que mon téléphone doit certainement être allumé, mais sur mon bureau, à la maison.

— Évidemment. Une chance que j'ai eu la présence d'esprit de venir te trouver ici ! Y a un party qui s'est improvisé chez Sam, puisque c'est congé demain. Ses parents sont partis je sais pas où, et devine qui sera là ?

— Kevin ? que je demande, pleine d'espoir.

— Ben à ton avis ! Il est ami avec Sam, non ?

J'applaudis de joie.

— Ton père t'a pas interdit de le voir ? se mêle Mehdi

— Et alors ? J'y peux rien si je vais à un party et s'il est là par hasard !

— Ah ! c'est sûr que si c'est par hasard... Sauf que t'es privée de sorties, non ?

Selon Émilie, les deux jours de punition qui viennent de s'écouler devraient suffire à étancher la soif de vengeance de mes parents. Elle prend le contrôle des opérations. Elle m'envoie me changer chez moi (car je ne peux décemment pas aller chez Sam dans cette tenue) et prétexter à mes parents que je vais passer la soirée chez elle (parce qu'elle ne va pas très bien, ce qui n'est pas totalement faux, puisque je dormirai là ensuite). Il faudra aussi que j'emprunte la voiture et que je vienne la chercher ici pendant qu'elle m'attendra, parce qu'il n'est pas question qu'elle se tape la marche jusque chez moi dans le froid et, surtout, avec ses nouvelles chaussures. Un plan « enthousiastement » infaillible. Seul Mehdi semble y trouver à redire.

— Ou alors, tu appelles tes parents pour leur demander l'autorisation de sortir, vous restez ici toutes les deux, et moi, je vais chez toi chercher ta voiture.

— Tu vas te changer à ma place ?

— Hum ! Je pourrais te rapporter du linge et...

— Mais non, Mehdi, ça marche pas ! J'y vais, ce sera pas long !

Mon ami est livide. Alors qu'Émilie fait exploser son forfait de cellulaire pour inviter la ville au complet chez Sam, il me chuchote :

— Tu peux quand même pas nous laisser tout seuls !

— Je pensais que t'allais être content ! Tu me parles d'Émilie tout le temps !

— Ben oui, mais là ! Si tu me mettais une Les Paul entre les mains, je serais pas un meilleur guitariste pour autant ; je saurais pas quoi faire avec.

— Je vois pas le rapport.

— Il faudrait une métaphore avec quoi comme ingrédients pour que tu comprennes ?

— Avec... Je sais pas... C'est quoi le problème, là ? J'ai pas vraiment le temps de niaiser... Imagine que Kevin soit déjà là-bas et qu'il parte avant que j'arrive !

— Tu vas te dépêcher, alors ? Je lui parle de quoi, à Émilie ? C'est quoi sa saveur de crème glacée préférée ? Est-ce qu'elle aime The Who ? Si elle pouvait se réincarner en quelqu'un qui a déjà existé, ce serait qui ? Elle aime-tu ça, les chips barbecue ?

Je reste interdite devant tant de questions insignifiantes. Une vraie fille, je vous dis !

— Mehdi... calme-toi. Tout va bien aller. T'as maximum une heure pour découvrir tout ça.

— UNE HEURE ?!? Mais t'es folle ! Qu'est-ce que je vais lui dire ? Et si elle me trouve *weird* ? Et si elle me trouve plate ? Si elle...

— Stop! Arrête de la regarder avec des yeux de cra-paud mort d'amour et ça ira. Elle va certainement passer l'heure au téléphone, de toute façon.

— Tu penses? me demande-t-il, soulagé.

— C'est sûr. Je la connais!

— Ce serait l'idéal; comme ça, notre relation n'irait pas trop vite.

— Votre «relation»?

Émilie raccroche et nous rejoint.

— Bon, j'ai presque plus de batteries dans mon cell. T'es pas encore partie, toi? Allez, dépêche!

— Tu peux utiliser le téléphone d'ici, si tu veux, lui propose Mehdi.

— Non, c'est bon, répond-elle nonchalamment.

Elle s'assoit sur le comptoir, face à mon ami, lui adresse un sourire éclatant et déclare:

— On va discuter! Anita et toi êtes tellement pro-ches, on va certainement bien s'entendre!

Regard de détresse de Mehdi. Je l'imagine à la der-nière étape de *Who Wants to Be a Millionaire?*, ignorant totalement la réponse à la question qui pourrait lui rap-porter le magot.

Si ça ne m'amusait pas autant, je le plaindrais.

Alors que la porte du dépanneur se referme der-rière moi, une bribe de leur conversation arrive jusqu'à mes oreilles:

– Si on te demandait à quelle époque tu voudrais retourner, ce serait quoi?

– Pourquoi on me demanderait ça? C'est donc ben *weird* comme question!

Mehdi s'apprête à vivre l'heure la plus longue de sa vie.

(K)

De : Moi
À : Émilie
Dimanche à 21:32

Bon, ça va prendre plus de temps que prévu, mais j'arrive!

De : Moi
À : Émilie
Dimanche à 21:33

Je suis à pied!

Quand je rentre à la maison pour me changer, mes parents sont en train de conspirer dans la cuisine.

Ça fait deux jours qu'ils complotent au milieu de notre guerre encore plus froide que le dehors. Je suis à la veille de creuser une tranchée pour me rendre jusqu'au frigo.

Le soir où ils ont surpris Kevin endormi avec leur fille soûle dans les bras, ils ont été passablement furieux. Quand je me suis réveillée vendredi matin (du moins, quand j'ai réussi à me décoller du lit), ils m'attendaient avec des faces tellement longues qu'elles ne rentraient même pas sur le divan.

— Tu vas nous expliquer ? m'a demandé ma mère sèchement.

Ça sentait le roussi.

Et ça n'a pas juste roussi, ça a brûlé. Flammes de l'enfer au milieu du salon.

Mais j'ai tenu mon bout. J'ai raconté l'histoire objectivement, transformant Kevin en héros, en sauveur, en G.I. Joe, et dépeignant Mehdi comme un ange gardien, un protecteur. Pas question d'avouer que l'alcool était son idée. Je suis mûre pour l'espionnage, Jack Bauer n'a qu'à bien se tenir : mes parents auraient pu me torturer, assassiner mon père et ma mère... non, pas mon père et ma mère, mais bon. Ils auraient pu tuer mon chat et Kevin... non, pas mon chat et Kevin, quand même...

Enfin, tout ça pour dire que je n'ai fait porter le blâme à personne d'autre qu'à moi.

Et donc, depuis, c'est la guerre froide, le « complotage ».

Je pose le jus de canneberges sur le comptoir de la cuisine (voyez comme je suis une bonne fille!), embarque Antoine dans mes bras et monte dans ma chambre sans saluer mes parents. Le problème, c'est qu'il va bien falloir que je leur parle si je veux être autorisée à dormir chez Émilie.

Je verrai ça plus tard.

Toute pomponnée, je redescends et retrouve le clan ennemi dans son quartier général. Il va falloir que je tente une percée. Où est G.I. Joe quand on a besoin de lui?

Chez Sam.

— Je vais dormir chez Émilie, elle *feel* pas, que je leur annonce en passant devant eux en coup de vent.

C'est ma technique. Ne pas leur laisser le temps de réfléchir. Avec un peu de chance, ils auront tout oublié ou ils seront trop absorbés par leur film nul de vieux pour se rendre compte de quoi que ce soit.

Mon plan n'est pas du tout parfait. Ma dernière syllabe a à peine retenti que les cerbères sont en alerte.

— Reviens ici! m'ordonne ma mère. Tu vas dormir chez Émilie dans cette tenue?

— Tu nous prends vraiment pour des valises, remarque mon père.

Je hausse les épaules. Je n'avais pas pensé à ça. Aller dormir chez Émilie arrangée comme ça, c'est une erreur de débutante. Mais je débute, alors tout s'explique.

— Tu remontes dans ta chambre et tu vas au lit.

— Je vais pas aller me coucher à cette heure-ci! Émilie m'attend, là...

Mon père se lève comme pour se donner plus d'importance. Je l'ai vu fâché comme ça des milliers de fois contre Thomas (O.K., des centaines), mais contre moi, jamais.

Malgré ça, je le défie du regard. J'estime que ce que j'ai fait n'est pas si grave et que ça ne mérite pas tout ce chiard-là. C'est ce que je lui dis.

— Tu ESTIMES? répète mon père, les yeux tellement écarquillés qu'il en est ridicule. Jeanne, elle ESTIME! Eh bien, j'ai des nouvelles pour toi, ma petite fille! D'abord, le droit d'ESTIMER que ta faute est grave ou non, tu l'as perdu quand tu t'es soûlée avec tes amis.

— J'étais pas avec...

— Tais-toi!

Louis (il a perdu le droit de s'appeler «papa» quand il m'a interdit de voir Kevin) est tellement furieux que je vois le sang battre dans la veine sur sa tempe. Il semble tout droit sorti d'un dessin animé japonais. Dans d'autres circonstances, cette vision m'amuserait.

Dans d'autres circonstances.

— Donc, tu as perdu le droit «d'estimer» quoi que ce soit et, pour ce qui est de ce «chiard-là», c'est à ta mère et moi de décider ce qui est mérité ou non. C'est clair?

— ...

— C'est clair?

— Faudrait savoir: je dois me taire ou je dois répondre? que je maugrée.

— O.K., tu m'énerves! Monte dans ta chambre et que je ne te revoie pas avant demain!

Toutes ces années à observer Thomas en silence n'ont pas été vaines. C'est ce soir que ça paie. Je baisse les yeux, soupire pour faire bonne figure et remonte en tempêtant dans ma chambre.

— Et on ne claque pas les portes! me hurle mon père du bas de l'escalier.

J'ouvre la porte et la reclaque. BANG! Ça, ça ne vient pas de Thomas, c'est ma propre improvisation et je n'en suis pas peu fière.

Je m'assois sur mon lit et examine mes options. Elles sont très minces.

Si ça se trouve, en ce moment, Kevin est chez Sam, et moi, je suis prisonnière ici. Si ça se trouve, il me cherche. Si ça se trouve, je suis en train de rater notre premier baiser à cause de mes parents. Je suis sûre que, si je redescendais pour plaider tout ça, ils feraient la sourde oreille. Bande de sans-cœur ! C'est bien la peine d'aller donner du sang, de soutenir la Croix-Rouge et de parrainer un enfant en Afrique si c'est pour gâcher la vie de leur propre fille dès que l'occasion se présente !

Je soupire.

Ce que je m'apprête à faire est légitime. Du moins, j'ai presque réussi à m'en convaincre. Dans les films, ça ne tourne jamais mal. Enfin, pas trop.

Je texte Émilie, rembourre le dessous de ma couette avec des oreillers et des toutous, ouvre la fenêtre de ma chambre...

Si je ne me casse pas quelque chose en sautant, si mes parents ne me voient pas passer devant la fenêtre, si j'arrive au dépanneur en un seul morceau (on ne sait jamais), si Émilie a des sous pour un taxi, si Kevin est chez Sam, si je reviens avant que mes parents aillent se coucher et décident de venir vérifier que tout va bien (quelle habitude à la con !), si je trouve un moyen de remonter jusqu'à ma chambre sans être remarquée... alors, tout ira bien.

Je vais me faire tuer.

DANS LE PROCHAIN
ÉPISODE

Je ne suis vraiment pas sûre d'avoir pris la bonne décision en me sauvant par la fenêtre. Tellement pas sûre que j'ai l'impression que mon cœur va me sortir par la gorge. Mais bon, comme je ne peux plus reculer, autant essayer de faire taire mes remords et de passer une bonne soirée... Surtout que je viens d'apercevoir Kevin, là-bas, sur un canapé...

EN VENTE PARTOUT
LE 28 SEPTEMBRE 2009

Sophie Bier

LA DISCUSSION DE L'HEURE
Tes parents n'aiment pas ton chum
ou ta blonde. Comment réagis-tu ?

enu blogue!

Episode
8

Des lendemains qui tanguent

Sophie Bienvenu

zood
.om

Sophie Bienvenu

Sophie Bienvenu est une fille, une jeune fille ou une femme, selon son humeur. Elle possède un chien, des draps roses et un sofa trop grand pour son appartement. Après avoir suivi une formation en communication visuelle dans une prestigieuse école parisienne, elle a décidé d'exercer tous les métiers possibles jusqu'à ce qu'elle trouve sa vocation. C'est en 2006, lors de la parution de *Lucie le chien,* que Sophie Bienvenu a décidé de devenir une auteure (idéalement célèbre et à succès) ou du moins d'écrire des histoires qui plaisent aux gens. Dans sa série *(k),* elle dépeint des jeunes évoluant sur fond d'amour, d'humour, de drame et de fantaisie.

Salgood Sam

Au début des années 1990, Salgood Sam fait de la bande dessinée et de l'animation tout en pratiquant d'autres formes d'art. Depuis l'an 2000, il se livre aussi à l'écriture, au « blogging » ainsi qu'au « podcasting ». Il a publié plus d'une trentaine de titres de bandes dessinées chez Marvel et DC Comics, et a été finaliste dans la catégorie « talent émergent » à l'occasion de la première édition des prix Doug Wright en 2005. En 2008, il a collaboré avec l'auteur et éditeur Jim Monroe à la publication du roman graphique *Therefore Repent*. En 2009, plusieurs de ses nouvelles paraîtront dans les anthologies *Comic Book Tattoo* et *Popgun 3*. La publication de *Revolver R* est également prévue pour octobre 2009. *(k)* est la première collaboration de Salgood Sam avec la courte échelle.

Les éditions de la courte échelle inc.
5243, boul. Saint-Laurent
Montréal (Québec) H2T 1S4
www.courteechelle.com

Direction littéraire : Julie-Jeanne Roy

Révision : Leïla Turki

Direction artistique : Jean-François Lejeune

Infographie : D.Sim.Al

Dépôt légal, 3ᵉ trimestre 2009
Bibliothèque nationale du Québec

La courte échelle reconnaît l'aide financière du gouvernement du Canada
par l'entremise du Programme d'aide au développement de l'industrie de
l'édition pour ses activités d'édition. La courte échelle est aussi inscrite au
programme de subvention globale du Conseil des Arts du Canada et reçoit
l'appui du gouvernement du Québec par l'intermédiaire de la SODEC.

La courte échelle bénéficie également du Programme de crédit d'impôt pour
l'édition de livres – Gestion SODEC – du gouvernement du Québec.

**Catalogage avant publication de Bibliothèque et Archives nationales
du Québec et Bibliothèque et Archives Canada**

Bienvenu, Sophie

       Des lendemains qui tanguent

       ((K) ; épisode 8)
       (Epizzod)
       Pour les jeunes de 14 ans et plus.

       ISBN 978-2-89651-156-3

       I. Sam, Salgood. II. Titre. III. Collection : Bienvenu, Sophie. (K) ;
       épisode 8. IV. Collection : Epizzod.

PS8603.I357D472 2009   jC843'.6   C2009-941665-4
PS9603.I357D472 2009

Imprimé au Canada

DANS LA MÊME SÉRIE